كارولين · ف · ؤتو: تأليف

العنكبوت

PHOTO CREDITS: Cover: Christoph Burki/Tony Stone Images. Page 1: Brian Kenney; 3: Pal Hermansen/Tony Stone Images; 4: Christoph Burki/Tony Stone Images; 5: Bob Gossington/ Bruce Colman; 6: Dwight Kuhn; 7: Robert and Linda Mitchell; 8: Dwight Kuhn; 9, top: Robert and Linda Mitchell; 9, bottom: Brian Kenney; 10, top: Dwight Kuhn; 10, bottom: Robert and Linda Mitchell; 11, top: Dwight Kuhn; 11, bottom: Robert and Linda Mitchell; 12: Brian Kenney; 13: Robert and Linda Mitchell; 15: Robert and Linda Mitchell; 16: Robert and Linda Mitchell; 17: Nuridsany & Perennou/Photo Researchers; 18: Robert and Linda Mitchell; 19: Tom Bean/Tony Stone Images; 20: Robert and Linda Mitchell; 21: Robert and Linda Mitchell; 22: Robert and Linda Mitchell; 23: Robert and Linda Mitchell; 25: Dwight Kuhn; 26: Dwight Kuhn; 29: Dwight Kuhn; 30: Robert and Linda Mitchell.

ISBN 978-0-439-86444-2

Book design by Barbara Balch and Kay Petronio
Photo research by Sarah Longacre

1 2 3 4 5 6 7 8 9 10 62 11 10 09 08 07

First Arabic Edition, 2006. Printed in China.

نَمِرةً.

بَيْتِأَوَّ أَنْ مُشْتِي بَمْجِ إِوِادَتِيَّ
مُشْتِي إِوِادَ أَنْ كَرِ مِمَّ بَيِّ.

ބިޔަރެގަ ގޭގެ ފާރުތަކުން ޖެއްސަލަޖެ ފެނިދާނެ.

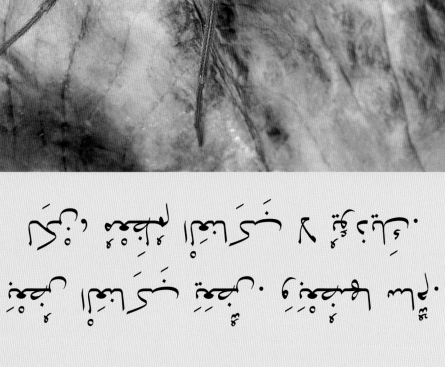

زانا يتيمتا نخزلبا
نخصفا بروح نطاطيبا
وبيد كاما بلبا رخمتا نحتيم روبا

مَنْظَرٌ عَنْ قَرِيبٍ.
شَعْرُ الجِسْمِ يُشَبِّهُ.
صُوفَةٍ ٥ . شَعْرُ الجِسْمِ.
لِنَظْرَةٍ أَقْرَبَ.

شَيْءٌ قَلِيلٌ.
الْعَنْكَبُوتُ يَسْتَحِقُّ.
إِنْ كَانَ بِهِ شَيْءٌ.
أَقْرَبَ نَظْرَةٍ لَكَ.

ܐܘܦ ܗܿܝ ܐܟܬܘܒܐ
ܓܘܿܝܬܐ ܒܬܐ ܟܠܫܐ
ܥܡ ܒܐ̈ܝ ܟܠ ܚܘ̈ܒܐ

ܕܥܡ ܒܐ̈ܝ ܟܠ ܚܘ̈ܒܐ
ܘ ܟܠܝܐ ܟ ܗܝ̈ܒܐ
ܥܕ ܟܠܝ̈ ܒܢܝ̈ܐ
ܟܠܫܐ ܒܐ̈ܝܐ

العنكبوت لهُ أرجُل كثيرة.

ܟܠܗ ܪܚܝܫ ܐܝܠܢ ܐܝܠܬ ܝܕܘܒܝܬ ܩܘܪܬܐ
ܩܪܨܘܒ ܝܝ ܪܝ ܪܝ ܚܝܝܬܐ ܠܝܬ ܢ ܓܐ ܟܘܢܬܐ

ܢܣܝܡ ܚܕܚ ܚܬܐ ܕܝ ܚܕ ܣܝܟܠܐ ܕܝܐ ܗܝܘ

ﮬﯧﯩﯩﯖﯛ ﭘﯘ ﺟﯘﺳﯩﯩﯟ ﭘﯧﯕﯩﯖﯘ ﯦﯩﯩﯟﯦ ﺳﯩﯩﯩﯖﯧﯘ ﺋﺎﯨﯩﺎ·

ﭼﯘ ﺳﯩﯩﯖﺋﯘﯚﺋﺎ ﯛﯨﯕﯚﺋﯘ ﭘﯩﭻﯘ ﻛﯩﺋﯘ ﭘﯩﯩﺋﯘ ﺋﺎﯨﯩﺎ

ﭼﯦﺎﻣﯘ ﯦﯘﺧﯩﭗ ﻛﯩﯩﯟﯦ ﯦﯧﺋﯘ ﯦﯩﯩﭘﺋﯘ ﺋﯩﯩﯟﯦ·

ﯦﯩﯩﯩﺧﯩﭘﺋﯘ ﭘﯘ ﯦﯧﯩﭘﯧﯩﺟﯩﯩﯟ·

ﯦﯧﯩﯩﺋﯘ ﻛﯘﺳﯩﯩﯩﯟ ﺧﯩﯩﯖﺋﺎﺋﯘ ﭘﯘ ﯦﯩﯩﯩﭘﯧﯩﺧﯩﯟ

ﻛﯛﺳﯩﯩﯟ· ﯦﯩﯩﯩﺧﯩﭘﺋﯘ ﻛﯩﯩﯩﯟﯦ ﺳﯩﯩﯩﺧﯩﺋﯘ

ﯦﯦﺟﯩﯩﺧﯘ ﺧﯩﯩﯖﺋﯘ ﭘﯘ ﯚﺳﯩﯩﯖﺋﺎ

ܣܲܦܼܪ̈ܵܝܹܐ ܕܐܸܢܬ̄ ܩܲܚܼܦܲܚܼܢܹ ܕܐܸܢ̄ ܣܲܦܼܪ̈ܝܼܝܼ

ܟܲܪ̈ܝܼܝܹ ܓܲ̈ܢܼܝܹ ܩܲܠܼ ܙܲܪ̈ܝܼ

ܝܲܦ̄ܝܼܝܼ ܡܵܗܼ ܝܼܒܲܪ̈ܝܼ
ܐܸܪ̈ܝܼܝܲܝܼ ܣܲܦܼܪ̈ܝܲܚܼܢܹ ܒܲܝܼܝܲ ܐܸܐܪ̈ܝܼܝܲܝܼ
ܣܲܦܼܪ̈ܝܲܝܼ ܟܲܪ̈ܝܼ ܓܲܢ̄ܝܲܕܼ ܩܲܓܼܝܲܪ̈ܝܲ
ܒܲܝܼ ܝܼܒܲܪ̈ܝܲܝܼ ܩܲܦ ܝܲܡ̄ܝܲܪ̈ܝܲ ܝܲܒ̄ܐ

الْعَناكِبُ في الْغالِبِ، تَسْتَخْدِمُ الْحَريرَ لِحِمايَةِ بُيوضِها. وَفي هذا الْكيسِ، نَجِدُ كَثيرًا مِنَ البُيوضِ. لِذلِكَ، سَيَكونُ هُناكَ الْكَثيرُ مِنَ الْعَناكِبِ الصَّغيرَةِ.

نَظْرَةٌ عَنْ قُرْبٍ

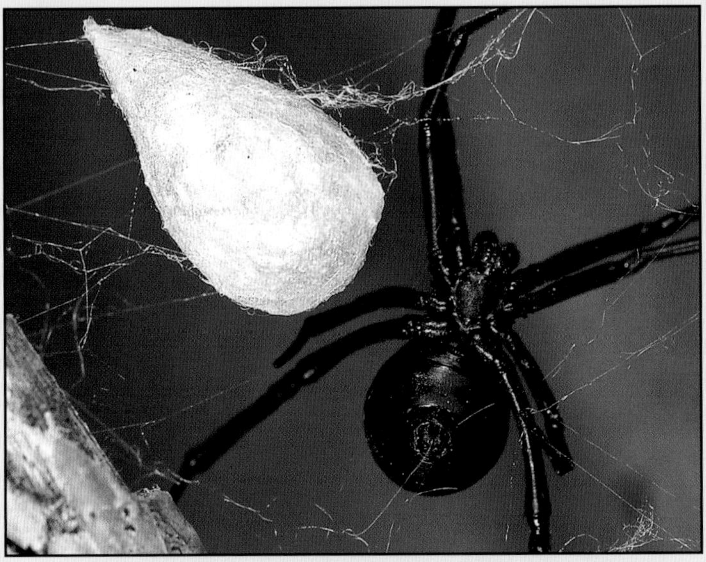

عَنْكَبوتٌ مَعَ كيسِ بُيوضِها

هٰذِهِ الْعَنـــاكِبُ الصَّغيرَةُ أَصْبَحَتْ قادِرَةً عَلى الاِعْتِمادِ عَلى نَفْسِها. إِنَّها تَغْزِلُ خَيْطًا طَويلاً مِنَ الْحَريرِ. هٰذا الْخَيْطُ يُساعِدُ عَلى حَمْلِها في الْهَواءِ.

ܪܝܫܐ ܕܬܡܢܝܐ܁

ܘܗܘܐ ܕܟܕ ܫܡܥ ܝܫܘܥ ܐܬܦܪܫ ܡܢ ܬܡܢ ܒܐܠܦܐ ܠܐܬܪܐ ܚܘܪܒܐ ܒܠܚܘܕܘܗܝ܁

ܘܟܕ ܫܡܥܘ ܟܢܫܐ ܐܙܠܘ ܒܬܪܗ ܡܢ ܡܕܝܢܬܐ ܒܝܒܫܐ܁

ܘܟܕ ܢܦܩ ܝܫܘܥ ܚܙܐ ܟܢܫܐ ܣܓܝܐܐ ܘܐܬܪܚܡ ܥܠܝܗܘܢ ܘܐܣܝ ܟܪܝܗܝܗܘܢ܁

ܘܟܕ ܗܘܐ ܪܡܫܐ ܩܪܒܘ ܠܘܬܗ ܬܠܡܝܕܘܗܝ ܘܐܡܪܝܢ܁

ތަކެއް ހޯދައި ގެނައުމަށް ބޭނުން ކުރެވިދާނެ ގޮތެކެވެ.

ބައެއް އެއްޗެހި ކުރުމުގައި ވެސް ބޭނުން ކުރެވިދާނެއެވެ.

އެހެންކަމުން އެ ތަކެތި ބޭނުން ކުރާ ގޮތް ދަސްކުރަންވީއެވެ.

ގިނަ ފަހަރަށް މަކުނުވާ ފަންނުވެރި ފިރިހެނެއް ހެދޭ

ގޮތުގައި ކަނބިލި ވާ އުފެއްދުމަށް ބޭނުންކުރާ ރޮދި